바로 알고, 바...

빵빵한
어린이
속담

글·현상길
그림·박빛나

U&B
유앤북

바로 알고, 바로 쓰는

빵빵한 어린이 속담

초판 1쇄 인쇄 ㅣ 2022년 3월 25일
초판 3쇄 발행 ㅣ 2023년 10월 10일

글 ㅣ 현상길
그 림 ㅣ 박빛나
펴낸이 ㅣ 안대준
펴낸곳 ㅣ 유앤북
등 록 ㅣ 제 2022-000002호
주 소 ㅣ 서울시 중구 필동로 8길 61-16, 4층
전 화 ㅣ 02-2274-5446
팩 스 ㅣ 0504-086-2795

ISBN 979-11-977525-5-1 74700
ISBN 979-11-977525-0-6 74700(세트)

바로 알고, 바로 쓰는

빵빵한
어린이
속담

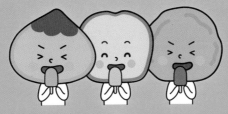

U&B
유앤북

머리말

'빵빵한 어린이 속담'으로
말하기 능력을 빵빵하게

사람들이 쓰는 말과 글은 그 사람의 마음으로부터 나옵니다.

그러므로 마음이 올바른 사람에게서는 자연스럽게 바른 말, 바른 글이 우러나오게 되지요. 그런 말과 글은 주위 사람들에게 행복과 기쁨을 전해 주고, 좋은 인간관계도 만들어 줍니다.

반면에, 마음이 올바르지 못한 사람의 말과 글은 거칠고 비뚤어진 모습으로 밖에 드러나게 됩니다. 그런 좋지 못한 말과 글은 주위 사람들을 불편하게 만들고, 때론 사람 사이를 갈라놓기도 하지요.

그렇다면, 올바른 마음은 어떻게 가꾸면 좋을까요?

그것은 바른 말과 바른 글을 씀으로써 가능합니다. 왜냐하면 바른 말과 바른 글은 우리의 귀와 눈을 통하여 마음에 들어와 마음밭을 가꾸는 좋은 씨앗으로 뿌려지기 때문입니다. 그러므로 어릴 때부터 아름답고 바른 말과 좋은 생각이 담긴 글을 많이 읽고 쓰면, 자신의 마음을 올바르게 가꾸어 나갈 수 있습니다. 그렇게 되면 자연히 그 사람이 쓰는 말과 글도 바르게 되는 것이지요.

이처럼 어릴 때부터 바른 말과 글을 배워서 쓰려고 노력하는 것은 바른 인성을 갖춘 사람으로 자라는 데 매우 중요합니다.

바로 알고, 바로 쓰는
**빵빵한
어린이
속담**

이 '빵빵한 어린이 속담'은 어릴 때부터 우리말의 표현법을 잘 알고 쓸 수 있도록 도움을 주기 위해 만들어졌습니다. 이 책은 어린이들에게 우리의 일상생활에서 많이 쓰이는 속담들의 뜻을 바르게 알고, 곧바로 쓸 수 있게 도와줄 것입니다.

이 책을 활용할 때는 이렇게 해 보세요.

먼저, 맨 앞에 나오는 속담이 무슨 뜻인지, 또 어떤 경우에 쓰이는지 생각해 봅니다.

그 다음, '빵빵 친구들'과 '빵빵 가족'의 대화를 읽으면서 어떤 경우에 그 속담이 쓰이는지 알아봅니다.

그리고 맨 끝의 '풀이' 부분을 읽고, 속담의 뜻과 쓰임에 대한 내용을 자세히 알아 둡니다.

나아가 책에서 배운 속담을 실제 일상생활에 바로 사용해 보면, 말하기 능력이 쑥쑥 자라게 될 것입니다.

우리말을 바르게 알고 어휘력과 말하기 능력을 키우는 것은 모든 공부를 위한 기초 공사를 튼튼하게 해 주는 매우 중요한 일입니다. 이 책을 늘 곁에 두고 '빵빵 가족'과 함께 즐거운 시간을 보내면서 말하기 실력도 빵빵하게 키워 나가기 바랍니다.

감사합니다.

현 상 길

차례

바로 알고, 바로 쓰는
**빵빵한
어린이
속담**

차례

바로 알고, 바로 쓰는
**빵빵한
어린이
속담**

빵빵 가족 소개

"재미있는 '빵빵 가족'과 함께
즐겁고 알찬 '빵빵한 어린이 속담' 공부를 시작해 봐요~"

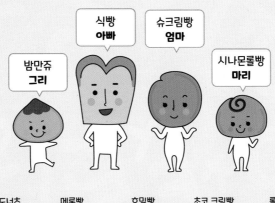

밤만쥬
그리

식빵
아빠

슈크림빵
엄마

시나몬롤빵
마리

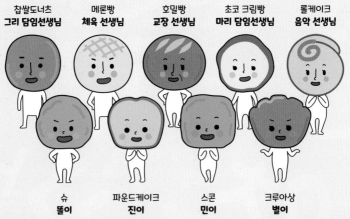

찹쌀도너츠	메론빵	호밀빵	초코 크림빵	롤케이크
그리 담임선생님	**체육 선생님**	**교장 선생님**	**마리 담임선생님**	**음악 선생님**

슈
똘이

파운드케이크
진이

스콘
민이

크루아상
별이

바로 알고, 바로 쓰는
빵빵한
어린이
속담

속담은 무엇이며, 왜 필요할까요?

'속담'은 예로부터 세상 사람들 사이에 전하여 오는 간결한 관용어구로서, 인생에 대한 교훈이나 경계의 뜻을 담고 있는 말입니다.

오랜 세월 동안 사람들의 생활 체험을 통하여 전해지고 이루어진 속담은, 어떤 사실을 직접 말하지 않고 돌려 말하거나 비유의 방법, 비꼬는 방법 등을 사용합니다. 또한 재치와 유머도 풍부하게 담겨 있지요. 그래서 속담은 관용어와 마찬가지로 그 말이 쓰이는 상황에 맞추어 곰곰이 생각해 보아야 그 뜻을 바르게 알 수 있지요.

> 속담은 교훈과 재미를 주기도 하지만, 때로는 다른 사람을 비웃거나 비꼬거나 안 좋은 것을 폭로하기 때문에 적절한 상황에서 상대방에 맞게 잘 사용해야 합니다. 그렇지 않으면 상대방이 오해하거나 기분이 나쁘게 될 수 있기 때문이지요.
> 예를 들어, 어르신께 '하룻강아지 범 무서운 줄 모른다'고 말하면, 정말 황당해 하시겠지요?

이와 같이 속담에 쓰인 각각의 낱말을 본래의 의미대로만 쓰거나 이해하려고 하면 오해가 생기기 때문에, 일이 일어나는 상황을 잘 살펴서 사용하고 상대방이 말하고자 하는 뜻을 알아내야 합니다.

이러한 속담을 열심히 공부하면, 생각하는 힘과 표현하는 능력, 풍부한 유머 사용 능력을 기를 수 있습니다. 아울러 좋은 인간관계 형성에도 많은 도움을 줍니다. 즉, 자신의 생각을 속담으로 재치 있고 재미있게 표현할 수 있는 능력이 생기며, 그러한 재미있는 표현을 통해 상대방의 관심과 호감까지 불러일으킬 수 있게 되지요.

바로 알고, 바로 쓰는

빵빵한 어린이 속담

089

다음의 대화를 잘 읽어 보고, 속담이 무슨 뜻인지 생각해 보세요.

가까운 남이 먼 일가보다 낫다

풀이 속담의 뜻과 쓰임에 대한 내용을 자세히 알아봅시다.

'일가(一家)'는 한집안을 말합니다. 이웃끼리 서로 친하게 지내다 보면 먼 곳에 사는 일가보다 가까운 사이가 되기도 하지요. 이와 같이 이 속담은 '이웃끼리 친해져서 서로 도우며 살게 된다'는 뜻으로 쓰입니다.

비슷한 속담 먼 사촌보다 가까운 이웃이 낫다.

002

다음의 대화를 잘 읽어 보고, 속담이 무슨 뜻인지 생각해 보세요.

가는 날이 장날

풀이 속담의 뜻과 쓰임에 대한 내용을 자세히 알아봅시다.

오랜만에 큰맘 먹고 친구 집에 놀러 갔는데, 하필 이사하는 날이라면 당황스럽겠지요? 이와 같이 이 속담은 '어떤 일을 하려고 하는데 뜻하지 않은 일을 공교롭게 당함'을 뜻하는 말입니다.

비슷한 속담 가는 날이 생일

다음의 대화를 잘 읽어 보고, 속담이 무슨 뜻인지 생각해 보세요.

가는 말에 채찍질

속담의 뜻과 쓰임에 대한 내용을 자세히 알아봅시다.

잘 가고 있는 말에게 채찍질하면 말은 더 빨리 가겠지요? 이와 같이 이 속담은 '열심히 하고 있는데도 더 빨리하라고 독촉함', 또는 '형편이나 힘이 한창 좋을 때라도 더욱 마음을 써서 힘써야 함'을 뜻하는 말입니다.

비슷한 속담 가는 말에도 채찍을 치랬다.

다음의 대화를 잘 읽어 보고, 속담이 무슨 뜻인지 생각해 보세요.

가는 말이 고와야 오는 말이 곱다

풀이 속담의 뜻과 쓰임에 대한 내용을 자세히 알아봅시다.

상대방이 나에게 나쁜 말을 하면 나도 나쁜 말을 하게 됩니다. 그래서 이 속담은 '자기가 남에게 말이나 행동을 좋게 하여야 남도 자기에게 좋게 한다'는 뜻으로 쓰입니다. 서로 주고받는 말은 인간관계에 매우 중요하지요.

비슷한 속담 가는 떡이 커야 오는 떡이 크다.

005

다음의 대화를 잘 읽어 보고, 속담이 무슨 뜻인지 생각해 보세요.

가랑비에 옷 젖는 줄 모른다

속담의 뜻과 쓰임에 대한 내용을 자세히 알아봅시다.

가늘게 내리는 비는 조금씩 젖어 들기 때문에 여간해서는 옷이 젖는 줄 모르는데, 나중에 보면 젖은 줄 알게 되지요. 이처럼 이 속담은 '사소한 것이라도 그것이 거듭되면 무시하지 못할 정도로 크게 된다'는 뜻으로 쓰이는 말입니다.

비슷한 속담 마른나무에 좀먹듯

다음의 대화를 잘 읽어 보고, 속담이 무슨 뜻인시 생각해 보세요.

가물에 콩 나듯 한다

풀이   속담의 뜻과 쓰임에 대한 내용을 자세히 알아봅시다.

가물(가뭄)에는 밭에 심은 콩이 제대로 싹이 트지 못하여 드문드문 나게 됩니다. 이와 같이 이 속담은 '어떤 일이나 물건이 어쩌다 하나씩 드문드문 있는 경우'에 쓰는 말입니다.

비슷한 속담   가물에 콩씨 나듯

다음의 대화를 잘 읽어 보고, 속담이 무슨 뜻인지 생각해 보세요.

가재는 게 편

풀이 속담의 뜻과 쓰임에 대한 내용을 자세히 알아봅시다.

가재는 게와 새우의 중간 모양으로 서로 생김새가 비슷하지요. 이와 같이 이 속담은 '모양이나 형편이 비슷하고 인연이 있는 것끼리 서로 잘 어울리고, 사정을 봐주며 감싸 주기 쉬움'을 가리킬 때 잘 쓰이는 말입니다.

비슷한 속담 검둥개는 돼지 편, 솔개는 매 편

다음의 대화를 잘 읽어 보고, 속담이 무슨 뜻인지 생각해 보세요.

가지 많은 나무에 바람 잘 날이 없다

풀이 속담의 뜻과 쓰임에 대한 내용을 자세히 알아봅시다.

가지가 많은 나무는 잎이 무성하여 살랑거리는 바람에도 잎이 흔들려서 잠시도 조용한 날이 없지요. 이와 같이 이 속담은 '**자식을 많이 둔 부모에게는 걱정거리가 끊일 날이 없음**'을 뜻하는 말입니다.

비슷한 속담 가지 많은 나무가 잠잠할 적 없다.

간에 붙었다 쓸개에 붙었다 한다

속담의 뜻과 쓰임에 대한 내용을 자세히 알아봅시다.

간과 쓸개의 본뜻과는 별로 관계가 없이 쓰이는 말로, 이 속담은 '자기에게 조금이라도 이익이 되면 지조 없이 이쪽에 붙었다 저쪽에 붙었다 한다'는 뜻 입니다. 줏대 없는 기회주의자를 비판할 때 주로 쓰이는 말이지요.

비슷한 속담 쓸개에 가 붙고 간에 가 붙는다.

같은 값이면 다홍치마

속담의 뜻과 쓰임에 대한 내용을 자세히 알아봅시다.

다홍치마는 짙고 산뜻한 붉은빛 치마입니다. 누구든지 같은 값을 주고 이왕이면 더 좋은 것을 가지고 싶어하겠지요? 이와 같이 이 속담은 '**값이 같거나 같은 노력을 한다면 품질이 좋은 것을 택한다**'는 뜻으로 쓰이는 말입니다.

비슷한 속담 같은 값이면 껌정소 잡아먹는다.

다음의 대화를 잘 읽어 보고, 속담이 무슨 뜻인지 생각해 보세요.

개구리 올챙이 적 생각 못 한다

속담의 뜻과 쓰임에 대한 내용을 자세히 알아봅시다.

이 속담은 '형편이 전에 비하여 나아지면 지난날 어렵던 때의 일을 생각지 않고 처음부터 그런 줄 알고 잘난 듯이 행동한다'는 뜻입니다. 올챙이를 거치지 않는 개구리는 있을 수 없듯이, 사람은 누구나 어린 시절이나 어려운 때를 겪으며 자란다는 것을 알고 남을 잘 이해하면 좋겠지요?

비슷한 속담 올챙이 적 생각은 못 하고 개구리 된 생각만 한다.

다음이 대회를 질 읽어 보고, 속담이 무슨 뜻인지 생각해 보세요.

개똥도 약에 쓰려면 없다

풀이 속담의 뜻과 쓰임에 대한 내용을 자세히 알아봅시다.

예전에는 개들이 길거리에 많이 돌아다녔기 때문에 개똥도 흔히 볼 수 있는 것으로 여겨졌지요. 그래서 이 속담은 '평소에 흔하던 것도 막상 필요해서 찾아 쓰려고 하면 구하기 어렵다'는 뜻으로 쓰이는 말입니다.

비슷한 속담 쇠똥도 약에 쓰려면 없다.

013

다음의 대화를 잘 읽어 보고, 속담이 무슨 뜻인지 생각해 보세요.

계란으로 바위 치기

풀이 속담의 뜻과 쓰임에 대한 내용을 자세히 알아봅시다.

바위를 깨뜨리려고 계란을 던지면 어떻게 될까요? 계란만 산산조각 나고 바위는 끄떡도 않을 겁니다. 이와 같이 이 속담은 '맞서 싸워도 도저히 이길 수 없는 경우'를 가리킬 때 쓰는 말입니다.

비슷한 속담 바위에 머리 받기

다음의 대화를 잘 읽어 보고, 속담이 무슨 뜻인지 생각해 보세요.

고래 싸움에 새우 등 터진다

풀이 속담의 뜻과 쓰임에 대한 내용을 자세히 알아봅시다.

고래처럼 큰 동물들이 싸우는 곳에 새우처럼 작은 동물이 끼어들었다가는 큰일 나겠지요? 그래서 이 속담은 '강한 자들끼리 싸우는 통에 아무 상관도 없는 약한 자가 중간에 끼어 피해를 입게 된다'는 뜻으로 쓰이는 말입니다.

고생 끝에 낙이 온다

속담의 뜻과 쓰임에 대한 내용을 자세히 알아봅시다.

'고생(苦生)'은 '어렵고 힘든 일', '낙(樂)'은 '즐거움이나 재미'를 뜻하지요. 그러므로 이 속담은 '어려운 일이나 고된 일을 겪은 뒤에는 반드시 즐겁고 좋은 일이 생긴다'는 뜻으로 쓰이는 말입니다.

비슷한 속담 태산을 넘으면 평지를 본다.

016

다음이 대회를 잘 읽어 보고, 속담이 무슨 뜻인지 생각해 보세요.

고양이 목에 방울 달기

쨍그랑

뭐야?
누가 그랬어?

큰일 났다!
선생님 꽃병이
깨졌어.

몰라. 다 같이
놀고 있었는데...
어쩌지?

이건 선생님이 아끼는
꽃병인데. 혼나게 생겼다.

선생님이
아시기 전에 먼저
가서 말씀 드리자.

난 안 갈래.
무서워.

나도 안 갈 거야.
교무실 가기 싫어.

나도 가기
싫은데.

속담의 뜻과 쓰임에 대한 내용을 자세히 알아봅시다.

'쥐들이 위험을 피하려고 고양이 목에 방울을 달기로 결정했지만, 고양이가 무서워 아무도 방울을 달려고 하지 않는다'는 이야기에서 나온 말입니다. 그래서 이 속담은 '실행하기 어려운 것을 공연히 의논함'을 뜻합니다.

다음의 대화를 잘 읽어 보고, 속담이 무슨 뜻인지 생각해 보세요.

공든 탑이 무너지랴

속담의 뜻과 쓰임에 대한 내용을 자세히 알아봅시다.

공들여 잘 쌓은 탑은 쉽게 무너지지 않지요. 이와 같이 이 속담은 '힘을 다하고 정성을 다하여 한 일은 그 결과가 헛되지 아니함'을 뜻하는 말입니다. '무너지랴'는 '무너지겠는가?', '무너지지 않는다'는 뜻입니다.

다음의 대화를 잘 읽어 보고, 속담이 무슨 뜻인지 생각해 보세요.

구슬이 서 말이라도 꿰어야 보배

풀이   속담의 뜻과 쓰임에 대한 내용을 자세히 알아봅시다.

구슬은 보석이나 진주 따위로 둥글게 만든 물건이지요. 이 말은 그런 구슬처럼 '아무리 훌륭하고 좋은 것이라도 잘 다듬고 정리하여 쓸모 있게 만들어야 값어치가 있음'을 뜻하는 속담입니다.

비슷한 속담   진주가 열 그릇이나 꿰어야 구슬

바로 알고, 바로 쓰는 빵빵한 어린이 속담

019

굼벵이도 구르는 재주가 있다

풀이 속담의 뜻과 쓰임에 대한 내용을 자세히 알아봅시다.

주로 땅속에 사는 느린 굼벵이처럼 '무능해 보이는 사람도 누구나 한 가지 재주는 있음'을 뜻하는 속담입니다. 혹은, '아무런 능력이 없는 사람이 남의 관심을 끌 만한 행동을 함'을 놀리는 말로 쓰이기도 합니다.

비슷한 속담 굼벵이도 꾸부리는 재주가 있다.

다음의 대화를 잘 읽어 보고, 속담이 무슨 뜻인지 생각해 보세요.

그물에 걸린 고기 신세

풀이 속담의 뜻과 쓰임에 대한 내용을 자세히 알아봅시다.

물고기는 그물에 걸리면 빠져나갈 수가 없게 되지요. 이와 같이 이 속담은 '이미 잡혀 옴짝달싹 못 하고 죽을 지경에 빠진 상태'를 뜻하는 말입니다.

비슷한 속담 그물에 든 고기요[새요], 쏘아 놓은 범이라.

021

다음이 대회를 잘 읽어 보고, 속담이 무슨 뜻인지 생각해 보세요.

금강산도 식후경

속담의 뜻과 쓰임에 대한 내용을 자세히 알아봅시다.

'식후경(食後景)'은 '밥을 먹은 후에 경치 구경한다'는 뜻입니다. 그래서 이 속담은 금강산 구경과 같이 '아무리 재미있는 일이라도 배가 불러야 흥이 나서 한다'는 뜻으로 쓰이는 말입니다.

비슷한 속담 꽃구경도 식후사

다음의 대화를 질 읽어 보고, 속담이 무슨 뜻인지 생각해 보세요.

까마귀 날자 배 떨어진다

풀이 속담의 뜻과 쓰임에 대한 내용을 자세히 알아봅시다.

배 나무에 앉아 있던 까마귀가 날자 배가 떨어지면, 사람은 까마귀 때문에 배가 떨어졌다고 오해하게 됩니다. 이처럼 이 속담은 '아무 관계없이 한 일이 공교롭게도 때가 같아 마치 관계있는 것처럼 의심 받은 경우'에 쓰입니다.

023

꿩 대신 닭

속담의 뜻과 쓰임에 대한 내용을 자세히 알아봅시다.

예전에 설날에는 꼭 꿩고기로 떡국을 끓였는데, 꿩이 귀해져서 일반 가정에서
는 닭고기를 대신 썼다고 합니다. 이와 같이 이 속담은 '꼭 적당한 것이 없을
때 그와 비슷한 것으로 대신하는 경우'에 쓰는 말입니다.

비슷한 속담 봉 아니면 꿩이다.

024

다음이 대회를 잘 읽어 보고, 속담이 무슨 뜻인지 생각해 보세요.

꿩 먹고 알 먹기

풀이 속담의 뜻과 쓰임에 대한 내용을 자세히 알아봅시다.

꿩 잡으러 갔는데, 알까지 얻으면 두 배로 좋겠지요? 이와 같이 이 속담은 '한 가지 일을 하여 두 가지 이상의 이익을 보게 됨'을 뜻하는 말입니다. 사자성어인 '일석이조(一石二鳥)'도 이와 비슷한 말이지요.

비슷한 속담 굿 보고 떡 먹기

바로 알고, 바로 쓰는
빵빵한 어린이 속담

ㄴ, ㄷ

025

나무를 보고 숲은 보지 못한다

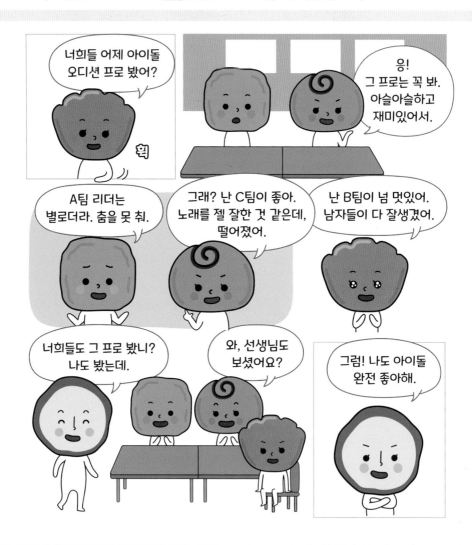

풀이 속담의 뜻과 쓰임에 대한 내용을 자세히 알아봅시다.

숲속에 들어가서 나무만 보면 숲 전체의 모습을 알 수 없습니다. 이와 같이 이 속담은 '일부분만 보고 전체는 보지 못한다'는 뜻으로 쓰이는 말입니다. 무엇이든 부분과 전체를 아울러 볼 수 있는 안목을 기르는 것이 중요하지요.

026

다음의 대화를 잘 읽어 보고, 속담이 무슨 뜻인지 생각해 보세요.

남의 손의 떡은 커 보인다

풀이 속담의 뜻과 쓰임에 대한 내용을 자세히 알아봅시다.

이 속담은 '물건은 남의 것이 제 것보다 더 좋아 보이고, 일은 남의 일이 제 일보다 더 쉬워 보인다'는 뜻을 가진 말입니다. 남에게 더 크고 좋은 것을 양보하겠다는 마음을 가지면 좋지 않을까요?

비슷한 속담 남의 밥에 든 콩이 굵어 보인다.

027

다음의 대화를 잘 읽어 보고, 속담이 무슨 뜻인지 생각해 보세요.

남의 잔치에 감 놓아라 배 놓아라 한다

풀이 속담의 뜻과 쓰임에 대한 내용을 자세히 알아봅시다.

다른 사람의 일에 참견 잘하는 사람이 있지요? 이 속담은 '**남의 일에 공연히 간섭하고 나선다**'는 뜻으로 쓰입니다. 남의 일에 조언을 해 주는 것은 좋은 일이지만, 너무 이래라저래라 참견하는 것은 바람직하지 않겠지요?

비슷한 속담 남의 일에 흥야항야한다.

028

다음의 대화를 잘 읽어 보고, 속담이 무슨 뜻인지 생각해 보세요.

낫 놓고 기역 자도 모른다

풀이 속담의 뜻과 쓰임에 대한 내용을 자세히 알아봅시다.

'ㄱ'은 한글 자음의 첫 글자로서, 누구나 쉽게 알 수 있는 글자이지요. 이 속담은 '기역 자 모양으로 생긴 낫을 보면서도 기역 자를 모를 정도로 아주 무식하다'는 뜻으로 쓰이는 말입니다.

비슷한 속담 가갸 뒷다리[뒤 자]도 모른다.

029

낮말은 새가 듣고 밤말은 쥐가 듣는다

속담의 뜻과 쓰임에 대한 내용을 자세히 알아봅시다.

새와 쥐가 사람의 말을 알아듣지는 못하겠지요? 이 속담은 그런 새와 쥐도 조심할 만큼 '아무도 안 듣는 데서라도 말조심해야 한다', 또는 '아무리 비밀히 한 말이라도 반드시 남의 귀에 들어가게 된다'는 뜻으로 쓰입니다.

030

다음의 대화를 잘 읽어 보고, 속담이 무슨 뜻인지 생각해 보세요.

내 코가 석 자

속담의 뜻과 쓰임에 대한 내용을 자세히 알아봅시다.

이 말에서 '내 코'를 '나의 코', 또는 '나의 콧물'로 해석하는데, 어쨌든 '코 (콧물)'가 석 자나 나왔다는 것은 몹시 급박한 일이지요. 그래서 이 속담은 **'사정이 급하고 어려워서 남을 돌볼 여유가 없는 경우'**에 쓰이는 말입니다.

비슷한 속담) 제 코가 석 자

다음의 대화를 잘 읽어 보고, 속담이 무슨 뜻인지 생각해 보세요.

누워서 침 뱉기

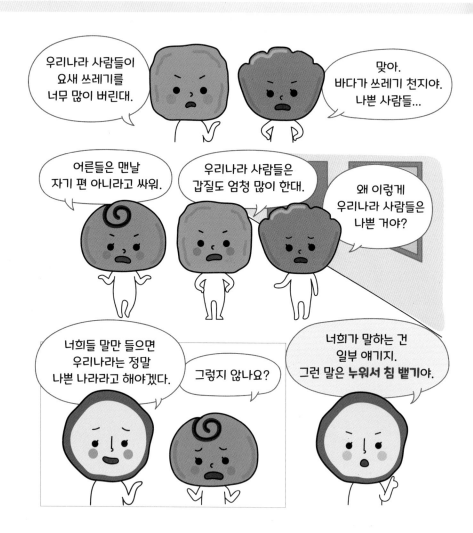

속담의 뜻과 쓰임에 대한 내용을 자세히 알아봅시다.

누워서 침을 뱉으면 자기에게 돌아오겠지요? 이와 같이 이 속담은 '남을 해치려고 하다가 도리어 자기가 해를 입게 된다', 또는 '자기에게 해로움이 돌아올 짓을 자기가 한다'는 뜻으로 쓰이는 말입니다.

비슷한 속담 자기 얼굴[낯]에 침 뱉기, 하늘 보고 침 뱉기

다음의 대화를 잘 읽어 보고, 속담이 무슨 뜻인지 생각해 보세요.

눈 가리고 아웅

풀이 속담의 뜻과 쓰임에 대한 내용을 자세히 알아봅시다.

'아웅'은 '얼굴을 손으로 가리고 있다가 손을 떼면서 어린아이를 어르는 소리' 입니다. 이처럼 이 속담은 아무것도 모르는 어린아이를 어르듯이 **'얕은수로 남을 속이려 한다'**는 뜻을 가진 말입니다. 이런 꾐에 넘어가면 안되겠지요?

비슷한 속담 머리카락 뒤에서 숨바꼭질한다.

다음의 대화를 잘 읽어 보고, 속담이 무슨 뜻인지 생각해 보세요.

다 된 죽에 코 풀기

풀이 속담의 뜻과 쓰임에 대한 내용을 자세히 알아봅시다.

다 끓여 놓은 죽에 코를 풀면 보나마나 망한 일이지요? 이와 같이 이 속담은 '거의 다 된 일을 망쳐 버리는 주책없는 행동', 또는 '남의 다 된 일을 악랄한 방법으로 방해하는 행동'을 뜻하는 말로 쓰입니다.

비슷한 속담 다 된 죽에 코 빠졌다.

다음의 대화를 잘 읽어 보고, 속담이 무슨 뜻인지 생각해 보세요.

단단한 땅에 물이 고인다

풀이 속담의 뜻과 쓰임에 대한 내용을 자세히 알아봅시다.

이 속담은 '헤프게 쓰지 않고 아끼는 사람이 재산을 모으게 된다', 또는 '무슨 일이든 마음을 굳게 먹고 해야 좋은 결과를 얻게 된다'는 뜻으로 쓰이는 말입니다. 작은 일이든 큰일이든 마음을 단단히 먹고 해야겠지요?

비슷한 속담 굳은 땅에 물이 고인다.

다음의 대화를 잘 읽어 보고, 속담이 무슨 뜻인지 생각해 보세요.

달도 차면 기운다

속담의 뜻과 쓰임에 대한 내용을 자세히 알아봅시다.

달은 가는 초승달에서 둥근 보름달이 되어 차올랐다가, 점점 줄어들어 다시 가는 그믐달로 변화합니다. 이처럼 이 속담은 '세상의 온갖 것은 한번 번성하면 다시 쇠하기 마련이다', 또는 '행운은 늘 계속되지 않는다'는 뜻으로 쓰입니다.

비슷한 속담 달이 둥글면 이지러지고 그릇이 차면 넘친다.

036

다음의 대화를 잘 읽어 보고, 속담이 무슨 뜻인지 생각해 보세요.

달면 삼키고 쓰면 뱉는다

풀이 속담의 뜻과 쓰임에 대한 내용을 자세히 알아봅시다.

단 것은 좋다며 삼키고 쓴 것은 싫다며 뱉어 버리는 것은 자기 입맛대로만 하는 행동을 가리킵니다. 그러므로 이 속담은 '옳고 그름이나 신의를 돌보지 않고 자기의 이익만 꾀한다'는 뜻으로 쓰이는 말입니다.

비슷한 속담 추우면 다가들고 더우면 물러선다.

다음의 대화를 잘 읽어 보고, 속담이 무슨 뜻인지 생각해 보세요.

닭 잡아먹고 오리 발 내놓기

등교하다 봤는데, 학교 근처에서 차들이 되게 천천히 달리더라.

그래. 전엔 엄청 빨리 달려서 위험했는데, 요샌 달라졌어.

어린이 보호구역에서 교통사고 나면 이젠 무지 세게 처벌한대.

맞아! 법이 개정됐대.

그런데도 아직 법 안 지키는 어른들 많지 않니?

많아! 어제도 뉴스 봤는데, 어떤 사람이 음주 운전하고 도망가다 잡혔어.

속담의 뜻과 쓰임에 대한 내용을 자세히 알아봅시다.

닭을 잡아먹었는데 오리 발을 내놓는 것은 닭을 몰래 잡아먹은 것을 숨기려는 행동이 아닐까요? 그래서 이 속담은 '옳지 못한 일을 저질러 놓고 엉뚱한 수작 으로 속여 넘기려 하는 일'을 뜻하는 말로 쓰입니다.

038

닭 쫓던 개 지붕 쳐다보듯

풀이   속담의 뜻과 쓰임에 대한 내용을 자세히 알아봅시다.

개와 닭이 노는 장면을 상상해 보세요. 개에게 쫓기던 닭이 지붕으로 올라가 버리면 개는 어쩔 수 없이 지붕만 쳐다보겠지요? 이처럼 이 속담은 '애써 하던 일이 실패하거나, 남보다 뒤떨어져 어쩔 도리가 없음'을 뜻하는 말입니다.

비슷한 속담   닭 쫓던 개 울타리 넘겨다보듯

039

다음의 대화를 잘 읽어 보고, 속담이 무슨 뜻인지 생각해 보세요.

도둑을 맞으려면 개도 안 짖는다

속담의 뜻과 쓰임에 대한 내용을 자세히 알아봅시다.

평소에 잘 짖던 개가 하필 도둑이 들었을 때 가만히 있었다면 참 안 좋은 일이죠? 이와 같이 이 속담은 '운수가 나쁘면 모든 것이 제대로 되지 않는다'는 뜻을 가진 말입니다. 무슨 일이 생기기 전에 늘 대비를 잘해야겠지요?

비슷한 속담 운수가 사나우면 짖던 개도 안 짖는다.

040

다음의 대화를 잘 읽어 보고, 속담이 무슨 뜻인지 생각해 보세요.

도둑이 제 발 저리다

풀이 속담의 뜻과 쓰임에 대한 내용을 자세히 알아봅시다.

발이 저리면 가만히 있을 수가 없기 때문에 주위 사람들에게 불안한 모습을 보이게 되지요. 이처럼 이 속담은 '**지은 죄가 있으면 자연히 마음이 조마조마 하여진다**'는 뜻으로 쓰이는 말입니다.

비슷한 속담 도적은 제 발이 저려서 뛴다.

다음의 대화를 잘 읽어 보고, 속담이 무슨 뜻인지 생각해 보세요.

돌다리도 두들겨 보고 건너라

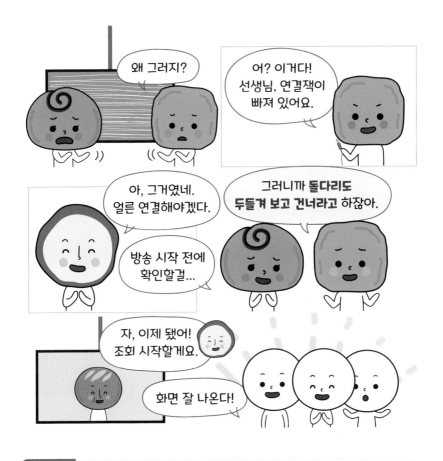

풀이 속담의 뜻과 쓰임에 대한 내용을 자세히 알아봅시다.

늘 다니는 돌다리니까 튼튼할 것이란 생각에 안전 확인을 안 하다가 사고가 날 수도 있지요. 그래서 이 속담은 '아무리 잘 아는 일이라도 세심하게 주의를 하라'는 뜻으로 쓰입니다. 자주 확인하고 주의해서 손해 볼 일은 없겠지요?

비슷한 속담 아는 길도 물어 가랬다. 얕은 내도 깊게 건너라.

042

다음의 대화를 잘 읽어 보고, 속담이 무슨 뜻인지 생각해 보세요.

되로 주고 말로 받는다

속담의 뜻과 쓰임에 대한 내용을 자세히 알아봅시다.

부피의 단위인 '한 말'은 '한 되'의 열 배로 약 18리터에 해당합니다. '되'로 주고 '말'로 받았으면 열 배를 받은 셈이죠? 그러니까 이 속담은 '조금 주고 그 대가로 몇 곱절이나 많이 받는 경우'에 쓰이는 말입니다.

비슷한 속담 한 되 주고 한 섬 받는다.

다음의 대화를 잘 읽어 보고, 속담이 무슨 뜻인지 생각해 보세요.

될성부른 나무는 떡잎부터 알아본다

풀이 속담의 뜻과 쓰임에 대한 내용을 자세히 알아봅시다.

'될성부르다'는 '잘될 가망이 있어 보이다'라는 뜻입니다. 튼튼한 떡잎을 보면 나무가 잘 자랄 수 있다는 희망을 가질 수 있겠지요? 이처럼 이 속담은 '잘될 사람은 어려서부터 남달리 장래성이 엿보인다'는 뜻으로 쓰이는 말입니다.

비슷한 속담 잘 자랄 나무는 떡잎부터 안다.

044

다음의 대화를 잘 읽어 보고, 속담이 무슨 뜻인지 생각해 보세요.

등잔 밑이 어둡다

풀이 속담의 뜻과 쓰임에 대한 내용을 자세히 알아봅시다.

등잔은 예전에 사용하던 조명 도구인데, 불을 켜면 그 아래는 그림자가 생겨서 다른 데보다 좀 어둡습니다. 이처럼 이 속담은 '**어떤 대상에서 가까이 있는 사람이 도리어 그 대상에 대하여 잘 모른다**'는 뜻으로 쓰이는 말입니다.

다음의 대화를 잘 읽어 보고, 속담이 무슨 뜻인지 생각해 보세요.

떡 줄 사람은 꿈도 안 꾸는데 김칫국부터 마신다

풀이 속담의 뜻과 쓰임에 대한 내용을 자세히 알아봅시다.

떡 먹을 생각하면 시원한 김칫국도 마시고 싶은 생각이 난다고 하지요. 그러므로 이 속담은 '해 줄 사람은 생각지도 않는데 미리부터 다 된 일로 알고 행동한다'는 뜻으로 쓰이는 말입니다. 너무 성급하게 생각하면 안되겠지요?

비슷한 속담 떡방아 소리 듣고 김칫국 찾는다.

다음의 대화를 잘 읽어 보고, 속담이 무슨 뜻인지 생각해 보세요.

똥 묻은 개가 겨 묻은 개 나무란다

풀이   속담의 뜻과 쓰임에 대한 내용을 자세히 알아봅시다.

곡식을 찧어 벗겨 낸 껍질인 '겨'보다 '똥'이 더 안 좋은 것이겠지요? 이처럼 이 속담은 '자기는 더 큰 흠이 있으면서 도리어 남의 작은 흠을 흉본다'는 뜻으로 쓰입니다. 남을 흉보는 것보다는 작은 흠도 감싸 주는 게 좋겠지요?

비슷한 속담   뒷간 기둥이 물방앗간 기둥을 더럽다 한다.

047

다음의 대화를 잘 읽어 보고, 속담이 무슨 뜻인지 생각해 보세요.

똥이 무서워서 피하나 더러워서 피하지

풀이   속담의 뜻과 쓰임에 대한 내용을 자세히 알아봅시다.

길에서 개똥 같은 것을 보면 누구나 피해 가게 마련입니다. 더럽기 때문이죠. 이처럼 이 속담은 '악하거나 같잖은 사람을 상대하지 않고 피하는 것은 그가 무서워서가 아니라 상대할 가치가 없기 때문이다'는 뜻을 가진 말입니다.

비슷한 속담   개똥이 무서워 피하나 더러워 피하지.

048

다음의 대화를 잘 읽어 보고, 속담이 무슨 뜻인지 생각해 보세요.

뛰는 놈 위에 나는 놈 있다

속담의 뜻과 쓰임에 대한 내용을 자세히 알아봅시다.

땅에서 빨리 뛰는 짐승도 하늘을 나는 새보다는 빠르지 못하겠지요? 이처럼 이 속담은 '아무리 재주가 뛰어나더라도 그보다 더 뛰어난 사람이 있다'는 뜻으로 쓰이는 말입니다. 잘난 체하지 말고 겸손하라는 의미가 들어 있지요.

비슷한 속담 기는 놈 위에 나는 놈 있다.

바로 알고, 바로 쓰는
빵빵한 어린이 속담

ㅁ, ㅂ

049

다음의 대화를 잘 읽어 보고, 속담이 무슨 뜻인지 생각해 보세요.

마른하늘에 날벼락

풀이 속담의 뜻과 쓰임에 대한 내용을 자세히 알아봅시다.

날벼락은 느닷없이 치는 벼락을 말합니다. 그래서 이 속담은 맑은 하늘에서 갑자기 벼락이 치는 것처럼 '뜻하지 않은 상황에서 뜻밖에 입는 재난'을 가리킬 때 쓰는 말입니다.

비슷한 속담 마른하늘에 벼락 맞는다.

050

다음의 대화를 잘 읽어 보고, 속뜻이 무슨 뜻인지 생각해 보세요.

말이 씨가 된다

풀이 속담의 뜻과 쓰임에 대한 내용을 자세히 알아봅시다.

씨가 자라면 식물이 크게 자라서 열매가 열리는 것처럼, 이 속담은 '늘 말하던 것이 마침내 사실대로 된다'는 뜻으로 쓰이는 말입니다. 물론 말만 한다고 이루어지지는 않겠지요? 그것을 이루기 위한 노력이 필요할 것입니다.

말 한마디에 천 냥 빚도 갚는다

풀이 속담의 뜻과 쓰임에 대한 내용을 자세히 알아봅시다.

옛날에 천 냥이면 꽤 큰돈이었지요. 좋은 말에는 이런 빚을 안 갚아도 될 만큼 사람을 감동시키는 힘이 있습니다. 그러므로 이 속담은 '말만 잘하면 어려운 일이나 불가능해 보이는 일도 해결할 수 있다'는 뜻으로 쓰입니다.

비슷한 속담 천 냥 빚도 말로 갚는다.

O52

다음의 대화를 잘 읽어 보고, 속담이 무슨 뜻인지 생각해 보세요.

모기 보고 칼 빼기

풀이 속담의 뜻과 쓰임에 대한 내용을 자세히 알아봅시다.

조그만 모기를 잡겠다고 큰 칼을 빼드는 건 너무 호들갑을 떠는 일이지요.
이처럼 이 속담은 '시시한 일로 소란을 피움', 또는 '보잘것없는 작은 일에 어울리지
않게 엄청나게 큰 대책을 씀'을 뜻하는 말입니다.

비슷한 속담 중을 보고 칼을 뽑는다.

다음이 대회를 잘 읽어 보고, 속담이 무슨 뜻인지 생각해 보세요.

모르면 약이요 아는 게 병

풀이 속담의 뜻과 쓰임에 대한 내용을 자세히 알아봅시다.

좋지 않은 일을 알게 되면 갑자기 걱정이 생기지요? 이처럼 이 속담은 '아무것도 모르면 차라리 마음이 편하여 좋으나, 무엇이나 좀 알고 있으면 걱정거리가 많아 도리어 해로움'을 뜻하는 말입니다.

비슷한 속담 모르는 것이 부처

다음의 대화를 잘 읽어 보고, 속담이 무슨 뜻인지 생각해 보세요.

목마른 놈이 우물 판다

속담의 뜻과 쓰임에 대한 내용을 자세히 알아봅시다.

물이 꼭 필요한 사람이 먼저 서둘러 우물을 파는 것은 당연한 일이겠지요? 그래서 이 속담은 '제일 급하고 일이 필요한 사람이 그 일을 서둘러 하게 되어 있다'는 뜻으로 쓰이는 말입니다.

비슷한 속담 갑갑한 놈이 우물 판다.

055

다음의 대화를 잘 읽어 보고, 속담이 무슨 뜻인지 생각해 보세요.

못 먹는 감 찔러나 본다

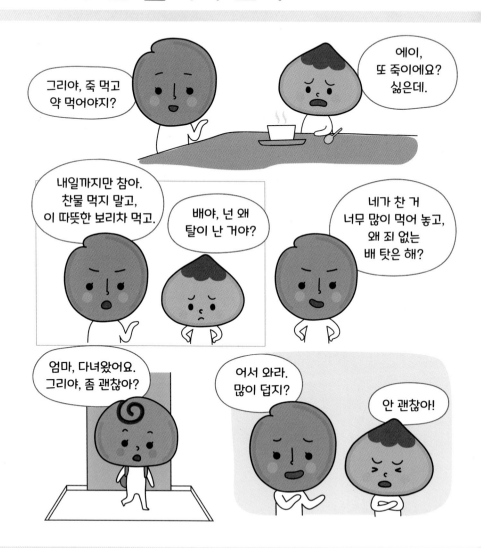

풀이 속담의 뜻과 쓰임에 대한 내용을 자세히 알아봅시다.

자신이 갖지 못한다고 남도 갖지 못하게 하는 건 질투심 때문일 것입니다. 이처럼 이 속담은 '제 것으로 만들지 못할 바에야 남도 갖지 못하도록 못 쓰게 만든다'는 뜻으로 쓰입니다. 이런 뒤틀린 마음을 가지면 안되겠지요?

비슷한 속담 못 먹는 밥에 재 집어넣기

056

다음의 대화를 잘 읽어 보고, 속담이 무슨 뜻인지 생각해 보세요.

무쇠도 갈면 바늘 된다

128 우리 아이 **빵빵** 시리즈 ❸

풀이 속담의 뜻과 쓰임에 대한 내용을 자세히 알아봅시다.

아무리 뭉툭하고 단단한 무쇠라고 해도 끈질기게 갈고 다듬으면 가늘고 뾰족한 바늘을 만들 수 있지요. 이와 같이 이 속담은 누구든지 '꾸준히 노력하면 어떤 어려운 일이라도 이룰 수 있다'는 뜻으로 쓰이는 말입니다.

057

다음의 대화를 잘 읽어 보고, 속담이 무슨 뜻인지 생각해 보세요.

물에 빠진 놈 건져 놓으니까 내 봇짐 내라 한다

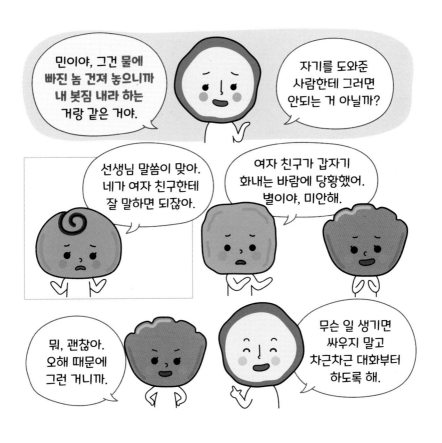

풀이   속담의 뜻과 쓰임에 대한 내용을 자세히 알아봅시다.

'봇짐'은 '물건을 보자기에 싸서 꾸린 짐'입니다. 건져 주니까 물에 빠지면서 잃어버린 봇짐을 내놓으라면 참 황당하겠지요? 이처럼 이 속담은 '남에게 은혜를 입고서도 그 고마움을 모르고 생트집을 잡는다'는 뜻입니다.

비슷한 속담   물에 빠진 놈 건져 놓으니까 망건값 달라 한다.

바로 알고, 바로 쓰는 빵빵한 어린이 속담   **131**

058

다음의 대화를 잘 읽어 보고, 속담이 무슨 뜻인지 생각해 보세요.

물은 건너 보아야 알고 사람은 지내보아야 안다

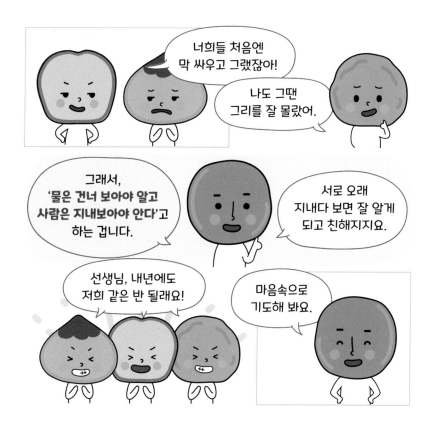

풀이 속담의 뜻과 쓰임에 대한 내용을 자세히 알아봅시다.

시냇물이 얕은지 깊은지는 건너 보아야 알 수 있습니다. 이처럼 이 속담은 '사람은 겉만 보고는 알 수 없으며, 서로 오래 겪어 보아야 알 수 있다'는 뜻으로 쓰입니다. 처음 보는 사람에 대해 성급하게 판단하면 안되겠지요?

비슷한 속담 깊고 얕은 물은 건너 보아야 안다.

059

다음의 대화를 잘 읽어 보고, 속담이 무슨 뜻인지 생각해 보세요.

미꾸라지 한 마리가 온 웅덩이를 흐려 놓는다

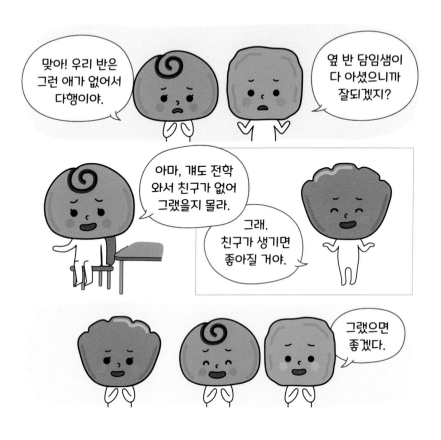

속담의 뜻과 쓰임에 대한 내용을 자세히 알아봅시다.

미꾸라지 한 마리가 흙탕물을 일으키면 웅덩이의 물이 온통 다 흐려지게 되지요. 이처럼 이 속담은 '한 사람의 좋지 않은 행동이 한 집단이나 여러 사람에게 나쁜 영향을 끼친다'는 뜻으로 쓰이는 말입니다.

비슷한 속담 미꾸라지 한 마리가 한강 물을 다 흐리게 한다.

미운 아이[놈] 떡 하나 더 준다

풀이 속담의 뜻과 쓰임에 대한 내용을 자세히 알아봅시다.

밉거나 감정이 안 좋은 사람에게 잘해 주기란 쉽지 않지요. 그래서 이 속담은
'미운 사람일수록 잘해 주고 나쁜 감정을 쌓지 않아야 한다'는 뜻으로 쓰이는
말입니다. 너그러운 마음은 좋은 인간관계를 만들어 주지요.

비슷한 속담 미운 사람에게는 쫓아가 인사한다.

다음의 대화를 잘 읽어 보고, 속담이 무슨 뜻인지 생각해 보세요.

믿는 도끼에 발등 찍힌다

풀이 속담의 뜻과 쓰임에 대한 내용을 자세히 알아봅시다.

평소에 잘 쓰던 자기 도끼가 갑자기 자루가 부러져 발등을 찍게 되면 참 황당하겠지요? 이처럼 이 속담은 '잘되리라고 믿고 있던 일이 어긋나거나 믿고 있던 사람이 배반하여 오히려 해를 입는다'는 뜻으로 쓰이는 말입니다.

비슷한 속담 낯익은 도끼에 발등 찍힌다.

다음의 대화를 잘 읽어 보고, 속담이 무슨 뜻인지 생각해 보세요.

밑 빠진 독에 물 붓기

풀이 속담의 뜻과 쓰임에 대한 내용을 자세히 알아봅시다.

밑 빠진 독에 아무리 물을 부어도 독은 채워질 수 없는 법이지요. 이와 같이 이 속담은 '아무리 힘이나 밑천을 들여도 보람 없이 헛된 일이 되는 상태'를 가리키는 말입니다. 무엇이든 기초가 튼튼하고 기본이 잘 갖추어져야 합니다.

디음의 내화를 잘 읽어 보고, 속담이 무슨 뜻인지 생각해 보세요.

바늘 가는 데 실 간다

속담의 뜻과 쓰임에 대한 내용을 자세히 알아봅시다.

바늘에 실을 꿰면 바늘이 움직이는 대로 실이 항상 뒤따르게 되지요. 이처럼 이 속담은 '사람 사이의 관계가 매우 긴밀하다'는 뜻으로 쓰이는 말입니다.

비슷한 속담 구름 갈 제 비가 간다.

다음의 대화를 잘 읽어 보고, 속담이 무슨 뜻인지 생각해 보세요.

바늘 도둑이 소도둑 된다

풀이 속담의 뜻과 쓰임에 대한 내용을 자세히 알아봅시다.

바늘처럼 작은 물건을 훔치던 사람이 계속 반복하다 보면 나중엔 소까지도 훔치는 큰 도둑이 될 수도 있겠지요. 이처럼 이 속담은 '작은 나쁜 짓도 자꾸 하게 되면 큰 죄를 저지르게 된다'는 뜻으로 쓰이는 말입니다.

비슷한 속담 바늘 쌈지[상자]에서 도둑이 난다.

065

다음의 대화를 잘 읽어 보고, 속담이 무슨 뜻인지 생각해 보세요.

발 없는 말이 천 리 간다

풀이 속담의 뜻과 쓰임에 대한 내용을 자세히 알아봅시다.

이 속담은 '말은 비록 발이 없지만 천 리 밖까지도 순식간에 퍼진다'는 뜻으로 쓰입니다. 언제 어디서나 말은 조심해야 합니다. 특히 인터넷, 스마트폰 등으로 잘못된 말이 순식간에 퍼지면 큰 문제가 생길 수도 있기 때문이지요.

다음의 대화를 잘 읽어 보고, **속담**이 무슨 뜻인지 생각해 보세요.

방귀 뀐 놈이 성낸다

속담의 뜻과 쓰임에 대한 내용을 자세히 알아봅시다.

자기가 방귀를 뀌고 오히려 다른 사람한테 화내는 경우가 있지요. 이처럼 이 속담은 '자신이 잘못을 저질러 놓고 오히려 남에게 성낸다'는 뜻으로 쓰이는 말입니다. 무슨 일이 있을 때는 늘 자신 먼저 돌아보아야겠지요?

비슷한 속담 똥 싸고 성낸다.

067

배보다 배꼽이 더 크다

마리가 글짓기 대회에서 금상을 탔어요.

자, 상장과 상품.

감사합니다!

축하해!

와!

선생님, 상품이 뭐예요?

상품은 문화상품권입니다. 얼마인지는 비밀!

마리야, 상품권 탔으니 한턱 쏴!

풀이　　속담의 뜻과 쓰임에 대한 내용을 자세히 알아봅시다.

이 속담은 배보다 거기에 붙은 배꼽이 더 크다는 뜻으로, '기본이 되는 것보다 덧붙이는 것이 더 많거나 큰 경우'에 쓰이는 말입니다. 잘못 판단하여 손해 보는 경우를 가리키기도 하지요. 언제나 앞뒤 분간을 잘해야겠지요?

비슷한 속담　발보다 발가락이 더 크다.

068

다음의 대화를 잘 읽어 보고, 속담이 무슨 뜻인지 생각해 보세요.

백지장도 맞들면 낫다

풀이 속담의 뜻과 쓰임에 대한 내용을 자세히 알아봅시다.

백지장은 하얀 종이 낱장을 가리킵니다. 이 속담은 그런 가벼운 종이를 드는 것처럼 '쉬운 일이라도 협력하여 함께하면 훨씬 쉽다'는 뜻으로 쓰이는 말입니다. 쉽든 어렵든 늘 남을 도와주려는 마음을 가지면 좋겠지요?

비슷한 속담 종잇장도 맞들면 낫다.

다음의 대화를 잘 읽어 보고, 속담이 무슨 뜻인지 생각해 보세요.

벼룩도 낯짝이 있다

풀이 속담의 뜻과 쓰임에 대한 내용을 자세히 알아봅시다.

'낯'은 체면이란 뜻도 있는데, '체면'은 남을 대하기에 떳떳한 도리나 얼굴을 말하지요. '낯짝'은 '낯'을 속되게 이르는 말로서, 이 속담은 '매우 작은 벼룩조차도 낯짝이 있는데 사람이 체면이 없어서야 되겠느냐'는 뜻으로 쓰입니다.

다음의 대화를 잘 읽어 보고, 속담이 무슨 뜻인지 생각해 보세요.

벼 이삭은 익을수록 고개를 숙인다

속담의 뜻과 쓰임에 대한 내용을 자세히 알아봅시다.

이삭이 많이 달린 벼는 자연히 고개를 숙이게 되지요. 이처럼 이 속담은 '교양이 있고 수양을 쌓은 사람일수록 겸손하고 남 앞에서 자기를 내세우려 하지 않는다'는 뜻으로 쓰이는 말입니다.

비슷한 속담 낟알은 익을수록 고개를 숙인다.

다음의 대화를 잘 읽어 보고, 속담이 무슨 뜻인지 생각해 보세요.

병 주고 약 준다

속담의 뜻과 쓰임에 대한 내용을 자세히 알아봅시다.

이 속담은 '남을 해치는 행동을 하고 나서 그를 구원하는 체한다'는 뜻으로 쓰입니다. 병을 걸리게 해 놓고 약을 주면서 위하는 척하는 사람이 있다면 정말 화가 나겠지요? 그러니 애초에 좋지 않은 행동은 하지 않아야 하겠습니다.

비슷한 속담 등 치고 배 만진다.

다음의 대화를 잘 읽어 보고, 속담이 무슨 뜻인지 생각해 보세요.

보고 못 먹는 것은 그림의 떡

풀이 속담의 뜻과 쓰임에 대한 내용을 자세히 알아봅시다.

맛있게 보이는 떡도 그림이라면 먹을 수 없겠지요? 이처럼 이 속담은 어떤 일을 하려고 해도 할 수 없기 때문에 '아무런 실속이 없음'을 뜻하는 말입니다. '그림의 떡'과 같은 것은 아예 가지려고 하지 않는 것이 좋겠지요?

다음의 대화를 잘 읽어 보고, 속담이 무슨 뜻인지 생각해 보세요.

빈 수레[달구지]가 요란하다

풀이 속담의 뜻과 쓰임에 대한 내용을 자세히 알아봅시다.

아무것도 싣지 않고 길을 가는 수레에서는 덜커덩거리는 소리가 요란하게 납니다. 이와 같이 이 속담은 '실속 없는 사람이 겉으로 더 떠들어 댄다'는 뜻으로 쓰이는 말입니다. 큰소리치기 전에 먼저 실력을 갖추는 게 좋겠지요?

비슷한 속담 속이 빈 깡통이 소리만 요란하다.

074

빛 좋은 개살구

풀이 속담의 뜻과 쓰임에 대한 내용을 자세히 알아봅시다.

'개살구'는 개살구나무의 열매로 살구보다 맛이 시고 떫습니다. 겉보기에는 먹음직스러운 빛깔을 띠고 있지만 맛은 없지요. 이와 같이 이 속담은 '겉만 그럴듯하고 실속이 없는 경우'에 쓰이는 말입니다.

바로 알고, 바로 쓰는
빵빵한 어린이 속담

ㅅ~ㅇ

075

다음의 대화를 잘 읽어 보고, 속담이 무슨 뜻이지 생각해 보세요.

사공이 많으면 배가 산으로 간다

속담의 뜻과 쓰임에 대한 내용을 자세히 알아봅시다.

바다로 가야 할 배가 산으로 간다면, 일을 완전히 그르치는 결과일 것입니다. 그러니까 이 속담은 '어떤 일을 주관하는 사람 없이 여러 사람이 자기주장만 내세우면 일이 제대로 되지 않는다'는 뜻으로 쓰이는 말입니다.

076

다음의 대화를 잘 읽어 보고, 속담이 무슨 뜻인지 생각해 보세요.

서당 개 삼 년이면 풍월을 읊는다

속담의 뜻과 쓰임에 대한 내용을 자세히 알아봅시다.

'개도 서당에서 오래 살다 보면 글 읽는 흉내를 낸다'는 뜻입니다. 그래서 이 속담은 '어떤 분야에 대해 지식과 경험이 전혀 없는 사람도 그 부문에 오래 있다 보면 얼마간의 지식과 경험을 갖게 된다'는 뜻으로 쓰이는 말입니다.

비슷한 속담 독서당 개가 맹자 왈 한다.

077

다음의 대화를 잘 읽어 보고, 속담이 무슨 뜻인지 생각해 보세요.

세 살 적 버릇이 여든까지 간다

이번 시간의 주제는 '나의 버릇'이에요.

저요! 전 코딱지 후비는 버릇 있는데, 잘 안 고쳐져요.

고치고 싶은 버릇이 있으면 솔직하게 말해 볼까요?

저는 무슨 생각할 때 꼭 손톱 깨무는 버릇 있어요.

아휴, 더러워.

그렇구나. 별이는 없나요?

저는 괜히 눈을 자주 깜박이는데, 남들이 윙크한다고 오해해요.

속담의 뜻과 쓰임에 대한 내용을 자세히 알아봅시다.

이 속담은 '어릴 때 몸에 밴 버릇은 늙어서도 고치기 힘들다'는 뜻을 가진
말입니다. 그러므로 사람은 누구나 어릴 때부터 안 좋은 버릇이 들지 않도록
잘 가르쳐야 하고, 또 좋은 습관이 몸에 배도록 스스로 노력해야 하지요.

비슷한 속담 어릴 적 버릇은 늙어서까지 간다.

078

소 닭 보듯

다음의 대화를 잘 읽어 보고, 속담이 무슨 뜻인지 생각해 보세요.

풀이 속담의 뜻과 쓰임에 대한 내용을 자세히 알아봅시다.

소와 닭은 마당에 같이 있어도 서로에게 아무런 관심이 없습니다. 소는 되새김
질하고 닭은 모이를 쪼을 뿐이죠. 이처럼 이 속담은 소와 닭의 관계와 같이 사
람들이 같이 있어도 '서로 무심하게 보는 모양'을 가리킬 때 쓰는 말입니다.

비슷한 속담 개 닭 보듯

다음의 대화를 잘 읽어 보고, 속담이 무슨 뜻인지 생각해 보세요.

소 잃고 외양간 고친다

풀이 속담의 뜻과 쓰임에 대한 내용을 자세히 알아봅시다.

소를 도둑맞고 나서야 빈 외양간의 허물어진 데를 고치는 것을 보고 이와 같이 비꼬는 말을 합니다. 그러니까 이 속담은 '일이 이미 잘못된 뒤에는 손을 써도 소용이 없다'는 뜻으로 쓰입니다. 그래도 안 고치는 것보다는 낫겠지요?

비슷한 속담 도둑맞고 사립 고친다.

쇠귀에 경 읽기

풀이   속담의 뜻과 쓰임에 대한 내용을 자세히 알아봅시다.

'경(經)'이란 '유교의 사상과 교리를 써 놓은 책'이지요. 소의 귀에 대고 경을 읽어 봐야 전혀 알아듣지 못하는 것처럼, 이 속담은 '아무리 가르치고 일러 주어도 알아듣지 못하거나 효과가 없는 경우'를 뜻하는 말입니다.

비슷한 속담   말 귀에 염불

바로 알고, 바로 쓰는 빵빵한 어린이 속담

081

다음의 대화를 잘 읽어 보고, 속담이 무슨 뜻인지 생각해 보세요.

쇠뿔도 단김에 빼랬다 [빼라]

속담의 뜻과 쓰임에 대한 내용을 자세히 알아봅시다.

'단김에'는 '열이 아직 식지 않을 적에'란 뜻이지요. 소의 뿔을 뽑으려면 불로 달구어 놓은 김에 해치워야 하듯이, 이 속담은 '어떤 일이든지 하려고 하면 한창 열이 올랐을 때 망설임 없이 곧 실행해야 한다'는 뜻으로 쓰이는 말입니다.

비슷한 속담 단김에 소뿔 빼듯

다음의 대화를 잘 읽어 보고, 속담이 무슨 뜻인지 생각해 보세요.

수박 겉 핥기

풀이 속담의 뜻과 쓰임에 대한 내용을 자세히 알아봅시다.

수박을 먹는다면서 딱딱한 겉만 핥으면 진짜 맛은 모르겠지요? 이처럼 이 속담은 '사물의 속 내용은 모르고 겉만 건드리는 일'을 뜻하는 말입니다. 공부를 하든 일을 하든 꼼꼼하게 끝까지 하는 것은 참 중요한 일이지요.

비슷한 속담 꿀단지 겉 핥기

다음의 대화를 잘 읽어 보고, 속담이 무슨 뜻인지 생각해 보세요.

숭어가 뛰니까 망둥이도 뛴다

속담의 뜻과 쓰임에 대한 내용을 자세히 알아봅시다.

'숭어'는 큰 고기, '망둥이'는 작은 고기입니다. 숭어가 물 위로 뛰어오른다고 해서 망둥이가 똑같이 따라 할 수는 없겠지요. 이처럼 이 속담은 '남이 한다고 하니까 분별없이 덩달아 나섬'을 뜻하는 말입니다.

비슷한 속담 망둥이가 뛰면 꼴뚜기도 뛴다.

바로 알고, 바로 쓰는 빵빵한 어린이 속담 185

다음의 대화를 잘 읽어 보고, 속담이 무슨 뜻인지 생각해 보세요.

숯이 검정 나무란다

풀이 속담의 뜻과 쓰임에 대한 내용을 자세히 알아봅시다.

자기도 검은색이면서 검정을 나무라는 '숯'은 어떤 사람을 가리킬까요? 이 속담은 '제 허물은 생각하지 않고 남의 허물을 들추어낸다'는 뜻으로 쓰이는 말입니다. 남을 칭찬하면 그 사람도 나를 칭찬해 준다는 걸 잊지 마세요.

085

다음의 대화를 잘 읽어 보고, 속담이 무슨 뜻인지 생각해 보세요.

신선놀음에 도낏자루 썩는 줄 모른다

자, 이번엔 꺾기야.

5알이다!

놓쳐라, 제발!

아깝다, 50단 기회였는데.

이번엔 내 차례! 됐어! 4알만 하면 50단이지?

안 돼! 놓쳐라, 제발!

아, 실패!

좋아! 난 4알 잡기!

속담의 뜻과 쓰임에 대한 내용을 자세히 알아봅시다.

옛날 한 나무꾼이 산에 갔다가 신선들이 바둑 두는 것을 정신없이 보다가 제 정신이 들어보니 세월이 흘러 도낏자루가 다 썩었다고 합니다. 그래서 이 속담 은 '아주 재미있는 일에 정신이 팔려 시간 가는 줄 모르는 경우'에 쓰입니다.

비슷한 속담 도낏자루 썩는 줄 모른다.

다음의 대화를 잘 읽어 보고, 속담이 무슨 뜻인지 생각해 보세요.

아는 길도 물어 가랬다

풀이 속담의 뜻과 쓰임에 대한 내용을 자세히 알아봅시다.

평소에 잘 안다고 생각했던 길도 달라질 수 있고, 자신만만하던 일도 미리 준비하지 않으면 실수할 수가 있지요. 그래서 이 속담은 '잘 아는 일이라도 세심하게 주의를 해야 한다'는 뜻으로 쓰이는 말입니다.

비슷한 속담 돌다리도 두들겨 보고 건너라.

다음의 대화를 잘 읽어 보고, 속담이 무슨 뜻인지 생각해 보세요.

아니 땐 굴뚝에 연기 날까

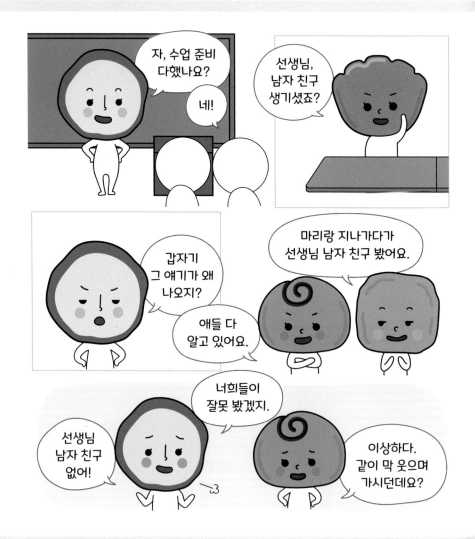

풀이   속담의 뜻과 쓰임에 대한 내용을 자세히 알아봅시다.

굴뚝을 때는 것은 원인이고, 연기가 나는 것은 그 원인에 따라 일어난 결과
입니다. 그러므로 이 속담은 '원인이 없으면 결과가 있을 수 없음'을 뜻하는
말입니다. 좋은 결과를 만들기 위해서는 좋은 원인이 필요하지요.

비슷한 속담   뿌리 없는 나무에 잎이 필까.

088

다음의 대화를 잘 읽어 보고, 속담이 무슨 뜻인지 생각해 보세요.

아닌 밤중에 홍두깨 (내밀 듯)

속담의 뜻과 쓰임에 대한 내용을 자세히 알아봅시다.

홍두깨는 '다듬이질할 때에 쓰는, 단단한 나무로 만든 도구'입니다. 이 속담은 한밤중에 쓸 일이 없는 홍두깨를 갑자기 내미는 것처럼 '별안간 엉뚱한 말이나 행동을 하는 경우'에 쓰이는 말입니다.

비슷한 속담 그믐밤에 홍두깨 내민다, 어두운 밤에 주먹질

바로 알고, 바로 쓰는 빵빵한 어린이 속담   195

다음의 대화를 잘 읽어 보고, 속담이 무슨 뜻인지 생각해 보세요.

어물전 망신은 꼴뚜기가 시킨다

풀이 속담의 뜻과 쓰임에 대한 내용을 자세히 알아봅시다.

꼴뚜기는 생김새가 볼품없다고 해서 가치가 낮은 것으로 여겨 왔습니다. 그래서 이 속담은 '지지리 못난 사람일수록 같이 있는 동료를 망신시킨다'는 뜻으로 쓰입니다. 하지만 사물이나 사람의 가치가 생김새로 결정되는 건 아니지요.

비슷한 속담 과물전 망신은 모과가 시킨다.

090

다음의 대화를 잘 읽어 보고, 속담이 무슨 뜻인지 생각해 보세요.

언 발에 오줌 누기

풀이 속담의 뜻과 쓰임에 대한 내용을 자세히 알아봅시다.

꽁꽁 언 발을 녹이려고 발등에 오줌을 누어 봤자 별 효과는 없지요. 이처럼 이 속담은 '어떤 일이 생겼을 때 임시방편으로 문제를 해결하는 것'을 뜻하는 말입니다. 문제의 근본적인 원인을 해결하지 못하면 더 나빠질 수도 있답니다.

091

다음의 대화를 잘 읽어 보고, 속담이 무슨 뜻인지 생각해 보세요.

열 번 찍어 아니 넘어가는 나무 없다

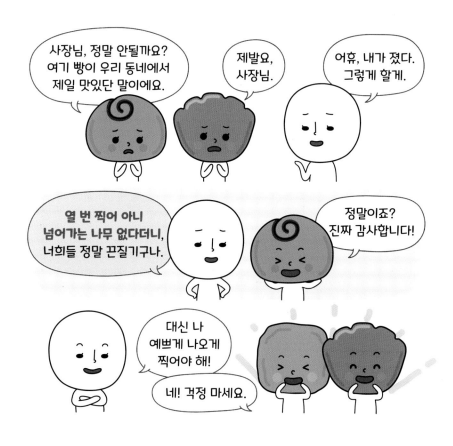

풀이 속담의 뜻과 쓰임에 대한 내용을 자세히 알아봅시다.

큰 나무도 열 번이나 도끼질하면 넘어뜨릴 수 있을 것입니다. 이와 같이 이 속담은 '아무리 뜻이 굳은 사람이라도 여러 번 권하거나 꾀고 달래면 결국은 마음이 변한다'는 뜻으로 쓰이는 말입니다. 뭐든지 끈질긴 정성이 중요하겠지요?

092

다음의 대화를 잘 읽어 보고, 속담이 무슨 뜻인지 생각해 보세요.

오르지 못할 나무는 쳐다보지도 마라

속담의 뜻과 쓰임에 대한 내용을 자세히 알아봅시다.

새는 높은 나무의 가지에 앉을 수 있지만 사람이 욕심부린다고 그렇게 할 수는 없지요. 이와 같이 이 속담은 '자기의 능력 밖의 불가능한 일에 대해서는 처음부터 욕심을 내지 않는 것이 좋다'는 뜻으로 쓰이는 말입니다.

다음의 대화를 잘 읽어 보고, 속담이 무슨 뜻인지 생각해 보세요.

우물 안 개구리

풀이   속담의 뜻과 쓰임에 대한 내용을 자세히 알아봅시다.

우물 안의 개구리는 자기가 있는 좁은 우물과 조금 보이는 하늘이 세상의 전부인 줄 알고 큰소리치지요. 그래서 이 속담은 '넓은 세상의 형편을 알지 못하는 사람', 또는 '식견이 좁아 저만 잘난 줄 아는 사람'을 뜻합니다.

O94

다음의 대화를 잘 읽어 보고, 속담이 무슨 뜻인지 생각해 보세요.

우물을 파도 한 우물을 파라

풀이 속담의 뜻과 쓰임에 대한 내용을 자세히 알아봅시다.

옛날엔 우물을 파서 물을 얻었지요. 땅을 조금 파다가 물이 안 나온다고 해서 여기저기 파기만 하다가는 목표를 이룰 수 없을 것입니다. 그래서 이 속담은 '일을 너무 벌여 놓거나 하던 일을 자주 바꾸면 성과가 없으니 어떤 일이든 한 가지를 끝까지 해야 성공할 수 있다'는 뜻으로 쓰입니다.

095

다음의 대화를 잘 읽어 보고, 속담이 무슨 뜻인지 생각해 보세요.

웃는 낯에 침 못 뱉는다

속담의 뜻과 쓰임에 대한 내용을 자세히 알아봅시다.

자신에게 웃는 낯으로 대하는 사람에게 침을 뱉을 수는 없겠지요? 이와 같이 이 속담은 '자기에게 좋게 대하는 사람에게 화를 내거나 나쁘게 대할 수 없다는'는 뜻으로 쓰입니다. 친절한 미소는 누구에게나 기쁨을 전해 주지요.

비슷한 속담 웃는 낯에 침 뱉으랴.

096

다음의 대화를 잘 읽어 보고, 속담이 무슨 뜻인지 생각해 보세요.

원수는 외나무다리에서 만난다

속담의 뜻과 쓰임에 대한 내용을 자세히 알아봅시다.

원수를 외나무다리에서 만나면 피할 곳이 없겠지요? 이처럼 이 속담은 '꺼리고 싫어하는 대상을 피할 수 없는 곳에서 공교롭게 만난다', 또는 '남에게 나쁜일을 하면 그 죗값을 받을 때가 반드시 온다'는 뜻으로 쓰이는 말입니다.

비슷한 속담 외나무다리에서 만날 날이 있다.

097

다음의 대화를 잘 읽어 보고, 속담이 무슨 뜻인지 생각해 보세요.

원숭이도 나무에서 떨어진다

풀이 속담의 뜻과 쓰임에 대한 내용을 자세히 알아봅시다.

나무를 잘 타는 원숭이도 실수로 나무에서 떨어질 때가 있지요. 이처럼 이 속담은 '아무리 익숙하고 잘하는 사람이라도 간혹 실수할 때가 있다'는 뜻으로 쓰입니다. 누구든지 실수할 때가 있으므로 잘 이해해 주는 것이 좋겠지요?

비슷한 속담 닭도 홰에서 떨어지는 날이 있다.

098

다음의 대화를 잘 읽어 보고, 속담이 무슨 뜻인지 생각해 보세요.

윗물이 맑아야 아랫물이 맑다

풀이 속담의 뜻과 쓰임에 대한 내용을 자세히 알아봅시다.

물은 높은 데서 낮은 곳으로 흐릅니다. 위에서 흘러내리는 물이 깨끗하면 자연스럽게 아래의 물도 깨끗하겠지요? 이처럼 이 속담은 '윗사람이 잘하면 아랫사람도 따라서 잘하게 된다'는 뜻으로 쓰이는 말입니다.

다음의 대화를 잘 읽어 보고, 속담이 무슨 뜻인지 생각해 보세요.

이웃이 사촌보다 낫다

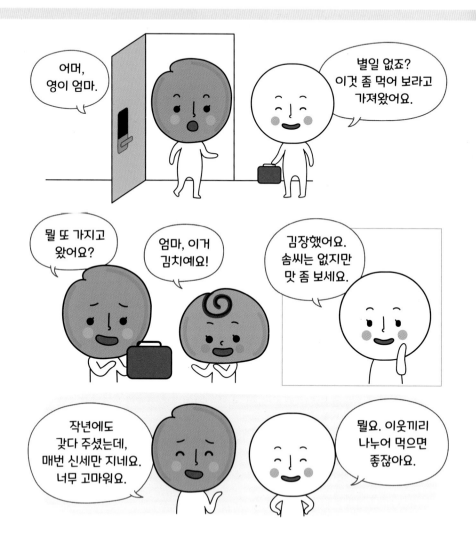

풀이 속담의 뜻과 쓰임에 대한 내용을 자세히 알아봅시다.

이웃끼리 서로 돕고 살다 보면 먼 곳에 사는 친족보다 더 가까이 지내는 경우가 많습니다. 이처럼 이 속담은 '자주 보는 사람이 정도 많이 들고 따라서 도움을 주고받기도 쉽다'는 뜻으로 쓰입니다.

비슷한 속담 먼 사촌보다 가까운 이웃이 낫다.

입에 쓴 약이 병에는 좋다

속담의 뜻과 쓰임에 대한 내용을 자세히 알아봅시다.

약은 먹을 때는 쓰지만 몸의 병을 고쳐 줍니다. 이처럼 이 속담은 '자기에 대한 충고나 비판이 당장은 듣기에 좋지 않지만, 그것을 잘 받아들이면 자기 마음을 다듬는 데 이롭다'는 뜻으로 쓰이는 말입니다.

비슷한 속담 쓴 것이 약

바로 알고, 바로 쓰는
빵빵한 어린이 속담

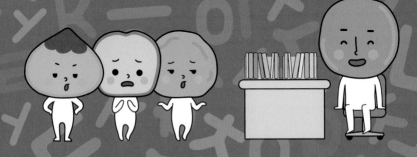

ㅈ~ㅎ

다음의 대화를 잘 읽어 보고, 속담이 무슨 뜻인지 생각해 보세요.

자라 보고 놀란 가슴 솥뚜껑 보고 놀란다

풀이 속담의 뜻과 쓰임에 대한 내용을 자세히 알아봅시다.

처음부터 솥뚜껑 보고 놀라진 않겠죠? 자라 보고 놀란 후 비슷하게 생긴 솥뚜껑을 보니까 자라인 줄 알고 놀라는 것이지요. 이처럼 이 속담은 '**어떤 사물에 몹시 놀란 사람은 비슷한 사물만 보아도 겁을 낸다**'는 뜻입니다.

비슷한 속담 더위 먹은 소 달만 보아도 헐떡인다.

102

작은 고추가 더 맵다

속담의 뜻과 쓰임에 대한 내용을 자세히 알아봅시다.

조그만 고추는 안 매운 줄 알고 먹었다가 엄청 매워 혼나는 경우가 있지요. 이와 같이 이 속담은 '몸집이 작은 사람이 큰 사람보다 재주가 뛰어나고 야무지다' 는 뜻으로 쓰입니다. 사람을 겉만 보고 판단해서는 안되겠지요?

비슷한 속담 고추는 작아도 맵다.

재주는 곰이 넘고 돈은 주인이 받는다

속담의 뜻과 쓰임에 대한 내용을 자세히 알아봅시다.

곰이 재주 부리는 걸 보고 사람들이 돈을 내면 주인이 갖게 되지요. 그래서 이 속담은 '수고하여 일한 사람은 따로 있고, 그 일에 대한 보수는 다른 사람이 받는다'는 뜻으로 쓰이는 말입니다. 일에 대한 보수는 언제나 공평해야겠지요?

제 방귀에 놀란다

풀이 속담의 뜻과 쓰임에 대한 내용을 자세히 알아봅시다.

어린아이들은 종종 자기가 방귀를 뀌고서는 자기가 깜짝 놀라는 경우가 있지요. 이처럼 이 속담은 '자기가 한 일 때문에 자기가 놀란다'는 뜻으로 쓰입니다. 언제나 자기가 하는 일에 대해서는 세심한 주의가 필요합니다.

비슷한 속담 봄 꿩이 제바람에 놀란다.

쥐구멍에도 볕들 날 있다

속담의 뜻과 쓰임에 대한 내용을 자세히 알아봅시다.

쥐구멍은 작고 구석진 곳에 있어서 몹시 어둡지만, 언젠가는 밝은 볕이 들어올 수도 있습니다. 그래서 이 속담은 '몹시 고생을 하는 삶도 좋은 운수가 터질 날이 있다'는 뜻으로 쓰입니다. 어떤 경우에도 희망을 포기해선 안되겠지요?

비슷한 속담 개똥밭에 이슬 내릴 때가 있다.

다음의 대화를 잘 읽어 보고, 속담이 무슨 뜻인지 생각해 보세요.

지렁이도 밟으면 꿈틀한다

풀이   속담의 뜻과 쓰임에 대한 내용을 자세히 알아봅시다.

지렁이는 저항하지 못하는 매우 약한 동물이지요. 그래서 이 속담은 '아무리 눌려 지내는 약한 사람이나, 순하고 좋은 사람이라도 너무 업신여기면 가만 있지 않는다'는 뜻으로 쓰입니다. 약자는 잘 보호해 주어야 하겠지요?

비슷한 속담   굼벵이도 밟으면 꿈틀한다.

다음의 대화를 잘 읽어 보고, 속담이 무슨 뜻인지 생각해 보세요.

짚신도 제짝이 있다

풀이 속담의 뜻과 쓰임에 대한 내용을 자세히 알아봅시다.

옛날에 짚신은 서민들이 널리 사용하던 신발이었지요. 그러니까 이 속담은 '누구든지 비록 보잘것없는 사람이라도 다 제짝이 있다'는 뜻으로 쓰이는 말입니다. '천생연분'이란 말도 서로에게 꼭 맞는 짝이란 뜻이지요.

비슷한 속담 헌 고리[짚신]도 짝이 있다.

108

참새가 방앗간을 그저 지나랴

풀이   속담의 뜻과 쓰임에 대한 내용을 자세히 알아봅시다.

곡식들이 많이 있는 방앗간 주변에 참새들이 많이 날아오듯이, 이 속담은 '자기가 좋아하는 곳은 그대로 지나치지 못한다', 또는 '욕심 많은 사람은 이익이 될 일을 보고 가만있지 못한다'는 뜻으로 쓰입니다.
[지나랴 = 지나겠는가?]

다음의 대화를 잘 읽어 보고, 속담이 무슨 뜻인지 생각해 보세요.

천 리 길도 한 걸음부터

속담의 뜻과 쓰임에 대한 내용을 자세히 알아봅시다.

천 리는 약 400킬로미터나 되는 먼 길인데, 이런 길을 잘 가기 위해서는 출발할 때 철저히 준비를 해야 하지요. 그래서 이 속담은 '무슨 일이든지 성공하기 위해서는 그 일의 시작이 매우 중요함'을 뜻하는 말로 쓰입니다.

다음의 대화를 잘 읽어 보고, 속담이 무슨 뜻인지 생각해 보세요.

콩 심은 데 콩 나고 팥 심은 데 팥 난다

풀이 속담의 뜻과 쓰임에 대한 내용을 자세히 알아봅시다.

콩을 심은 곳에서 콩이 나오는 건 너무나 당연한 일이지요. 그래서 이 속담은
'모든 일은 그 근본에 따라 거기에 걸맞은 결과가 나타난다'는 뜻으로 쓰입니다.
근본을 무시한 채 다른 결과를 바라는 건 어리석은 일이겠지요?

비슷한 속담 대 끝에서 대가 나고 싸리 끝에서 싸리가 난다.

111

다음의 대화를 잘 읽어 보고, 속담이 무슨 뜻인지 생각해 보세요.

콩으로 메주를 쑨다 하여도 곧이듣지 않는다

풀이 속담의 뜻과 쓰임에 대한 내용을 자세히 알아봅시다.

콩으로 메주를 쑤는 것은 당연한 일이지요. 그러므로 이 속담은 '당연한 것을 아무리 사실대로 말하여도 믿지 않는다'는 뜻으로 쓰이는 말입니다. 평소의 말과 행동으로 남에게 믿음을 주지 못하면 이런 말을 듣게 되겠지요?

비슷한 속담 소금으로 장을 담근다 해도 곧이듣지 않는다.

다음의 대화를 잘 읽어 보고, 속담이 무슨 뜻인지 생각해 보세요.

티끌 모아 태산

풀이 속담의 뜻과 쓰임에 대한 내용을 자세히 알아봅시다.

'태산'은 아주 큰 산을 가리킵니다. 그래서 이 속담은 '티끌과 같이 아무리 작은 것이라도 모이고 모이면 나중에 큰 덩어리가 됨'을 뜻하는 말입니다. 작은 노력들이 쌓여 큰 성공을 거두게 된다는 것을 꼭 기억해 두세요.

비슷한 속담 먼지도 쌓이면 큰 산이 된다. 실도랑 모여 대동강이 된다.

팔이 안으로 굽지 밖으로 굽나

풀이 속담의 뜻과 쓰임에 대한 내용을 자세히 알아봅시다.

팔은 신체 구조 때문에 꼭 안으로만 굽게 되어 있지요. 그래서 이 속담은 '자기 혹은 자기와 가까운 사람에게 정이 더 쏠리거나 유리하게 일을 처리함'을 뜻합니다. 그러나 옳지 못한 것을 감싸 주거나 못 본 척해서는 안되겠지요?

비슷한 속담 손이 들이굽지 내굽나.

다음의 대화를 잘 읽어 보고, 속담이 무슨 뜻인지 생각해 보세요.

하나만 알고 둘은 모른다

이 속담은 '사물의 한 쪽만 보고 두루 살피지는 못한다', 또는 '생각이 밝지 못하여 도무지 융통성이 없고 미련하다'는 뜻으로 쓰이는 말입니다. 생각이 폭넓은 사람이 되기 위해서는 경험도 많이 쌓고, 독서도 꾸준히 해야 하지요.

비슷한 속담　감출 줄은 모르고 훔칠 줄만 안다.

115

다음의 대화를 잘 읽어 보고, 속담이 무슨 뜻인지 생각해 보세요.

하늘이 무너져도 솟아날 구멍이 있다

속담의 뜻과 쓰임에 대한 내용을 자세히 알아봅시다.

하늘이 무너질 정도라면 정말로 큰 재난입니다. 그래서 이 속담은 '아무리 어려운 경우에 처하더라도 살아 나갈 방도가 생긴다'는 뜻으로 쓰입니다. 어떤 어려움 속에서도 절대 희망을 잃지 말고 해결책을 찾아야겠지요?

비슷한 속담 사람이 죽으란 법은 없다.

116

다음의 대화를 잘 읽어 보고, 속담이 무슨 뜻인지 생각해 보세요.

하룻강아지 범 무서운 줄 모른다

풀이 속담의 뜻과 쓰임에 대한 내용을 자세히 알아봅시다.

태어난 지 얼마 안 되는 하룻강아지는 범이 얼마나 무서운지 모르고 덤비겠지요? 이처럼 이 속담은 '상대의 실력이나 수준도 모르고 철없이 함부로 덤빈다'는 뜻으로 쓰입니다. 모든 행동은 늘 조심스럽게 해야 하겠지요?

비슷한 속담 범 모르는 하룻강아지

117

호랑이도 제 말 하면 온다

풀이 속담의 뜻과 쓰임에 대한 내용을 자세히 알아봅시다.

깊은 산의 호랑이도 제 얘길 들으면 찾아올지 모르니 남에 대한 얘기는 그만큼 조심해야겠지요? 그래서 이 속담은 '어느 곳에서나 그 자리에 없다고 남을 흉보면 안 된다', 또는 '다른 사람에 관한 이야기를 하는데 공교롭게 그 사람이 나타난다'는 뜻으로 쓰입니다.

비슷한 속담 범도 제 말[소리] 하면 온다.

118

다음의 대화를 잘 읽어 보고, 속담이 무슨 뜻인지 생각해 보세요.

호미로 막을 것을 가래로 막는다

호미는 '한 손으로 잡는 조그만 농기구', 가래는 '여러 사람이 들어야 하는 큰 농기구'입니다. 그래서 이 속담은 '적은 힘으로 충분히 처리할 수 있는 일에 쓸데없이 많은 힘을 들인다', 또는 '커지기 전에 처리했으면 쉽게 해결되었을 일을 방치해 두었다가 나중에 큰 힘을 들이게 된다'는 뜻으로 쓰입니다.

119

다음의 대화를 잘 읽어 보고, 속담이 무슨 뜻인지 생각해 보세요.

호박이 넝쿨째로 굴러떨어졌다

풀이   속담의 뜻과 쓰임에 대한 내용을 자세히 알아봅시다.

생각하지도 못했는데 어느 것 하나 버릴 것 없는 귀한 호박을 넝쿨째로 얻게 되었다면 기분이 정말 좋겠지요? 이처럼 이 속담은 '뜻밖에 좋은 물건을 얻거나 행운을 만났다'는 뜻으로 쓰이는 말입니다.

비슷한 속담   굴러온 호박

120

다음의 대화를 잘 읽어 보고, 속담이 무슨 뜻인지 생각해 보세요.

황소 뒷걸음치다가 쥐 잡는다

풀이 속담의 뜻과 쓰임에 대한 내용을 자세히 알아봅시다.

황소는 쥐를 잡으려고 한 것이 아니고 뒷걸음치는데 우연히 쥐가 밟혀 잡힌 것이지요. 이처럼 이 속담은 '어쩌다 우연히 이루거나 알아맞힌다'는 뜻으로 쓰입니다. 어쩌다 이루어지는 일을 자주 바라면 안되겠지요?

비슷한 속담 황소 뒷걸음에 잡힌 개구리

바로 알고, 바로 쓰는

빵빵한
어린이
속담

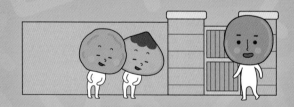